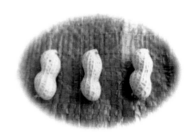

땅콩, 이렇게 심어 봤어? 이렇게 먹어 봤어?

발 행 | 2023 년 12 월 31 일

저 자 | 조해영·전미애

펴낸이 | 한건희

펴낸곳 | 주식회사 부크크

출판사등록 | 2014.07.15(제 2014-16 호)

주 소 | 서울특별시 금천구 가산디지털 1 로 119 SK 트윈타워 A 동 305 호

전 화 | 1670-8316

이메일 | info@bookk.co.kr

ISBN | 979-11-410-6312-2

www.bookk.co.kr

땅콩,
이렇게 심어 봤어?
이렇게 먹어 봤어?

목차

■ 시작하는 글

1) 이 책을 쓰는 이유

조해영·전미애는 2021년에 파주로 이사 와서 텃밭 농사를 시작한 초보 농부들이다. 서로 농군의 남편이다·농군의 아내다 하면서도 늘 같이 해야 그나마 감당할 수 있는 새내기 농부들이다. 200평 텃밭 농사를 하면서 잡초 때문에 너무 힘들어서 검정 비닐로 두둑을 덮었는데 그렇게 쓴 검정 비닐은 다음 해에 다시 사용하기 어려워 엄청난 비닐을 쓰레기로 버리는 게 늘 미안했다. 그래서 검정 비닐 사용을 줄일 수 있는 방법은 없을까 고민하다가 땅콩 재배에 검정 비닐을 사용하지 않고 재배하는 방법을 시도해 보았는데 과정이나 결과가 참 좋다. 뿐만 아니라 땅콩을 수확하면서 보니 땅콩이 아주 행복하게 자란 게 보여서 널리 알리고 싶다. 남들에게는 유튜브 1회 분량이지만 내게는 책으로 출판하는 것이 더 편해서 책으로 내기로 한다.

2) 땅콩의 다른 이름, 낙화생

강원도 농촌에서 자란 나는 집에서 농사를 지었음에도 불구하고 땅콩은 본 적이 없었다. 땅콩을 처음 본 건 80년대에 농어촌개발공사 무역부에서 근무할 때였다. 땅콩은 특용 작물로 가격 안정을 위해서 필요하면 공사에서 그 수입 업무를 담당했다. 그땐 땅콩이 아니라 낙화생이라고 했다. 하지만, 그때에도 꼬투리에 들어 있는 피땅콩이 아니라 깐 알땅콩을 수입해서 실제로 밭에서 땅콩을 본 것은 여러 해가 지난 후였다.

공사에서 근무하던 시절에 처음 알게 된 땅콩을 의미하는 낙화생(落花生)이라는 이름은 땅콩이 자라는 모습에서 그런 이름을 얻었다고 한다. 오랜 세월이 흘러서 내가 직접 농사를 지으면서 쉽게 이해하게 됐다. 땅콩을 심은 후에 노란 꽃이 피고, 꽃이 핀 후에 그 자리에서 '자방병'이라는 기다란 줄이 생기는데 그 줄이 땅속으로 들어가서 우리가 먹는 땅콩이 생긴다. 그래서 그 기다란 줄이 땅속으로 일찍 잘 들어가도록 해 주는 것이 땅콩 농사에서 수확량을 결정하는 중요한 요인이 된다. 자방병이 제때에 땅속에 잘 들어가면 생육 기간이 늘어나서 튼실한 땅콩을 얻을 수 있지만, 제때에 땅속에 들어가지 못하면 주위를 맴돌다가 말라 버리기도 하고 새들에게 먹히기도 한다. 또, 자방병이 늦게 땅속에 들어가면 제대로 여물지 못한 땅콩을 수확하게 된다.

3) 처음 본 땅콩 수확: 와, 대박이다!!

내가 밭에 있는 땅콩을 처음 본 건 2008년에 남편의 건강을 위해 1년 동안 5도2농(5都2農) 생활을 했던 경기도 연천에서였다. 당시 우리는 연천 백학면 구미리 클라인 가르텐에 조그만 텃밭이 딸린 펜션을 1년 동안 분양 받았는데 부녀회장님 댁에 놀러 갔다가 땅콩밭에 같이 가게 되었다. 산비탈에 있는 상당히 넓은 돌밭에 땅콩을 심어서 수확할 때였다. 땅콩 수확하는 시범을 보여주시면서 우리한테 한 줄을 다 캐 가라고 하셨다. 부드러운 흙이 아니고 돌이 꽤 많은 돌밭인데 한 포기를 잡아당기니 그 아래에 엄청난 양의 땅콩이 달려 나오는 게 아닌가!

와, 대박이다!!!

남편과 나 둘 다 신이 나서 땅콩을 수확했던 기억이 있다. 땅콩이 자라는 것을 처음 본 신기함과 더불어 땅콩한 포기에 달려 나오는 수확량이 많은 것에 또 놀랐다.

무엇보다도 밭이 기름져 보이지 않은 돌밭인데 그렇게 풍작인 것이 나에겐 이해가 되지 않았다. 그래서 "밭에 돌이 많은데도 땅콩이 많이 달렸네요?" 했더니 밭에 거름기가 없어서 땅콩을 심을 때 거름을 많이 넣었고 그 후에는 더 이상 돌보지 않았다고 하셨다. 와! 심어만 놓고 돌보지 않아도 때가 되면 이렇게 풍성한 수확을 할 수 있다니! 이후 땅콩은 늘 내 마음속에 한 번 심어 보고 싶은 작물 1순위였다.

〈2008년에 연천에서 처음 본 땅콩 수확 장면〉 2008/10/04

■ 땅콩 재배법

1. 밭 만들기

1) 땅속에 미리 넣을 것

고라니 같은 동물 피해도 걱정해야 하지만 땅속에 사는 굼벵이도 신경을 써야 한다. 굼벵이는 감자와 고구마, 땅콩 농사에 큰 영향을 준다. 땅속에 있는 감자, 고구마를 주인보다 먼저 파먹고 징그러운 자국을 남긴다.

〈굼벵이 피해를 본 고구마〉

또 땅콩에도 보기 싫은 상처를 남긴다. 1년 농사 끝에 기대감으로 고구마나 땅콩을 수확할 때 이런 결과물을 보면 정말 속이 상한다. 그래서 우리가 먹을 텃밭 농사임에도 불구하고 로터리를 칠 때나 로터리를 치고 두둑을 만들 때 대부분 살충제를 넣고 두둑을 만든다.

〈벌레 먹은 흔적이 있는 땅콩〉

올해는 천연 식물성 해충 기피제로 알려진 님 유박을 알게 되어 일반 살충제 대신 넣었다. 님 유박은 님 케이크(neem cake)라고도 하는데 님 오일을 짜고 남은 부산물로 만든 제품으로 유박 비료처럼 입제로 되어 있어서 사용하기 쉽다. 가격은 20kg 한 포에 35,000원으로 좀 비싸지만 내 텃밭에 좋을 것 같아 구입했다.

〈님 케이크〉

살충제만 넣어야 하는 건 아니다. 2008년에 돌밭에서 땅콩이 줄줄이 달려 나오는 걸 본 연천에서 들은 얘기(땅콩은 밑거름만 듬뿍 넣으면 그 후엔 해줄 게 없어요)를 생각하며 퇴비를 듬뿍 넣고 복합 비료도 조금 넣었다.

2) 이랑 넓이는?

우리가 흔히 듣는 '이랑'의 개념부터 알아보기로 하자. 보통 '이랑'이란 '두둑'과 '고랑'을 합해서 부르는 이름이다. 농작물을 심는 볼록한 부분을 '두둑'이라 하고, 물 빠짐과 작업 편의를 위해 띄워 놓는 낮은 공간을 '고랑'이라고 한다. '두둑'과 '고랑'을 합해서 '이랑'이라고 한다. 쉽게 말해서 〈높은 '두둑' + 낮은 '고랑' = 한 '이랑'〉이라고 이해하면 된다.

땅콩의 자방병이 편하게 내려오고 또 작업 편의를 위해서 두둑 폭을 60cm로 하면 좋다. 좀 더 넓은 두둑이 만들어졌으면 한 줄 심기가 아닌 두 줄 심기를 하거나 형편에 따라 지그재그로 두 줄 심기를 해도 좋을 것이다.

두둑뿐만 아니라 고랑의 넓이도 중요하다. 고랑이 넓으면 작업하기 편한 것은 물론 그만큼 통풍이 잘돼서 모든 작물에 좋다. 하지만 제한된 면적에서 수확을 많이 하고 싶은 농부 입장에서는 고랑을 마냥 넓게 할 수 없는 입장이다. 농촌 마을을 다니다 보면 우리 엄마를 포함하여 옛 어른들은 두둑은 물론 고랑까지 아주 좁게 만드시는 것을 종종 본다. 한 이랑이 보통 두둑 넓이밖에 안 되는 것처럼 보인다. 아마 옛날에 힘든 시절을 보내셔서 조금이라도 더 많이 심어서 많이 수확하고자 하는 마음에서 그러는 건 아닐까 생각한다.

반면, 땅의 면적에 비해서 노동력이 모자라거나 아예 뜻한 바가 있는 농부들은 고랑을 아주 넓게 해서 통풍에 특별히 신경을 쓴다. 실제로 고추 농사에서 고랑을 넓게 했더니 병충해 발생이 줄었다고 고랑의 넓이가 수확량에 미치는 영향을 경험적으로 얘기하는 유튜버들을 종종 볼 수 있다.

이런저런 상황을 고려할 때 두둑은 60cm로 하고 고랑도 60cm 정도 띄워서 한 이랑을 120cm로 하면 좋을 것 같다. 사실 나는 올해 이웃분께서 로터리를 쳐주셨는데 미리 이랑 설계도를 그리고 또 로터리를 치는 날에도 줄자와 말뚝을 가지고 와서 재면서 했지만, 이상하게 이랑들이 생각보다 20~40cm 정도 좁게 만들어졌다. 그러다 보니 땅콩 고랑의 폭이 40~50cm 정도밖에 되지 않았다. 결과적으로 땅콩 줄기가 가장 많이 자랐을 때에는 고랑으로 다니기 힘들 정도로 땅콩 줄기들이 얽혀버렸다.

3) 두둑 모양은?

대부분 농작물 재배에서 두둑은 가운데가 볼록한 동그란 모양으로 많이 한다. 일단 로터리를 친 후에 두둑을 만들기가 쉽기 때문일 것이다. 그냥 괭이나 쇠스랑으로 두둑과 고랑을 구분해 주면 된다. 이런 동그란 두둑은 대부분 배수에 좋은 점도 있다. 그래서 두둑에 한 줄 심기 하는 고추나 배추와 같은 대부분의 경우에 사용하는 것 같다. 하지만, 쌈채소를 재배하는 이랑이나 김장 무, 부추 등 여러 줄 심기를 하는 경우에는 두둑의 폭이 상대적으로 넓고 두둑 전체가 평평한 '평두둑'으로 한다.

내 짧은 농사 경험으로 볼 때 평두둑은 동그란 두둑보다 만들기가 더 어렵다. 유튜브 영상에서 본 어떤 분은 벽돌 찍어내듯이 두둑 가장자리가 각이 질 정도로 평두둑을 잘 만들기도 하지만, 평두둑 가장자리가 흘러내리지 않고 붙어있도록 하는 기술이 필요한 것 같다. 만들기는 어렵지만 평두둑은 작물을 심을 수 있는 면적이 동그란 두둑보다 넓어서 좋다. 쌈채소나 김장 무를 심을 때는 가능한 한 두둑 윗 부분을 넓게 해서 여러 줄로 심으면 많이 심을 수 있어서 좋다.

작년까지 땅콩을 재배할 때는 아무 생각 없이 그냥 동그란 두둑으로 했다. 하지만 올해는 처음부터 검정 비닐을 안 쓰고 해 보려고 마음을 먹었기 때문에 자연스레 평두둑으로 했다. 비닐 멀칭을 하지 않으면 물도 자주 줘야 하는데 뒤에 물주기에서 설명하는 바와 같이 동그란 두둑으로는 감당할 수 없기 때문이다. 한 해 농사를 끝내고 보니 결과적으로 땅콩 두둑은 꼭 평두둑으로 가능한 한 넓게 하라고 권하고 싶다.

2. 검정 비닐 멀칭

1) 멀칭이란?

멀칭(mulching)이란 사전적 의미로 농작물이 자라고 있는 땅을 짚이나 비닐 따위로 덮는 것을 말한다. 짚이나 비닐 외에도 낙엽이나 풀, 왕겨 등으로 덮기도 한다. 요즘은 농사지을 때 검정 비닐을 씌우지 않는 경우가 거의 없다. 간혹 어르신들이 비닐값을 아낀다고 안 씌우는 경우가 있기는 하지만, 대부분 봄에 로터리를 치고 난 후에 땅속에 넣을 거름이나 살충제 등을 넣고 건조한 봄 날씨에 땅속 보습을 위해 바로 검정 비닐부터 씌우는 모습을 종종 본다.

2) 멀칭을 하는 이유

멀칭을 하면 좋은 점이 많다. 우선 농작물의 뿌리를 보호하고 이른 봄에 기온이 내려갈 때에도 지온을 유지할 수 있다. 뿐만 아니라 흙이 건조해지는 것을 막을 수 있어서 건조한 봄 농사에 유익하다. 하지만 농사를 짓는 농부 입장에서 멀칭을 하는 가장 큰 이유는 잡초 방지가 아닐까 생각한다.

봄에 씨를 뿌리고 건조한 날씨 속에서 싹을 내기 위해 물을 주거나 비라도 올 때면 싹이 트고 자라는 것을 기뻐하는 것도 잠시 더 빠른 속도로 여기저기에서 올라오는 잡초를 보면 맥이 풀린다. 모종을 옮겨 심을 때에도 마찬가지이다. 성장하는 속도도 우리가 심지도 않고 뿌리지도 않은 잡초는 우리가 뿌리고 심은 작물보다 훨씬 빠르고 강하게 잘 자란다. 농사를 하면서 잡초와의 전쟁을 생각하지 않을 수 없다.

물론 잡초도 온전히 인정해 주면서 그런 잡초 속에 하나 둘 뿌리를 내린 농작물을 수확하는 경우도 있다고 들었다. 하지만 대부분의 경우 잡초가 중심이 되는 밭은 생각할 수 없다. 그래서 환경을 생각하는 농부들은 자연에서 얻은 풀이나 낙엽, 볏짚 등으로 멀칭을 하는 경우를 유튜브를 통해 볼 수 있다.

하지만 문제는 필요한 풀이나 낙엽, 볏짚 등 천연 멀칭 재료는 필요한 때 구하기 쉽지 않다는 현실이다. 가장 손쉽게 구할 수 있는 멀칭 재료는 농자재 마트에서 언제든지 구할 수 있는 검정 비닐이다.

3) 꼭 검정 비닐로 멀칭해야 할까?

아직 텃밭 농사 3년 차인 초보 농부이지만 가을걷이가
끝난 후에 밭에서 회수하는 검정 비닐의 양을 보면 늘
죄를 짓는 느낌이었다. 비닐이 분해되는데 엄청 오랜
기간이 소요된다는 것을 아는 입장에서 작은 텃밭 농
사를 짓는다고 이 엄청난 쓰레기를 만들어 내는 것이
옳은 일인가 늘 마음이 편하지 않았다. 하지만 예전에
농사를 지으면서 몇 차례 비닐로 덮지 않은 밭이 7, 8
월 장마를 지나면서 어떤 모습이 되는지 경험했기 때
문에 가능한 밭 전체를 덮어야 마음이 편하다.

〈잡초가 무서워서 텃밭 고랑과 두둑을 모두 덮은 우리 텃밭〉

나는 두둑뿐만 아니라 고랑도 모두 덮는다. 먼저 두둑을 덮은 후에 두둑 사이 고랑 넓이에 맞는 제초매트로 고랑도 모두 덮는다. 제초매트는 넓은 180cm도 쓰지만 주로 90cm를 많이 쓴다. 좁은 고랑에는 60cm 제초매트로 덮는다. 제초매트와 비닐을 고정하기 위해서 끝이 뾰족한 'ㄷ'자형으로 생긴 부직포 핀을 땅속에 박아 고정한다. 이렇게 15cm 길이의 철핀으로 박아 놓으면 웬만한 바람에도 끄떡없이 견뎌 가을에 추수할 때까지 풀 걱정에서 해방될 수 있다.

이렇게 봄이면 온 텃밭에 무릎을 꿇고 엎드려서 제초매트로 고랑을 덮고 가을에는 하나하나 회수해서 잘 접어놓는다. 한 해만 사용하는 검정 비닐과 달리 제초매트는 여러 해 사용할 수 있어서 미안한 마음이 덜하다. 가격면에서 제초매트는 상당히 비싸지만 여러 해 사용할 수 있어서 그 가격이 아깝지 않다고 생각한다.

〈예외적으로 땅콩 심을 공간만 덮지 않은 땅콩 이랑〉

천연 멀칭 재료에 대해서 조금씩 공부하면서 나도 천연 멀칭 재료로 대체하려고 시도해 보지만 지금까지는 계속 검정 비닐로 멀칭을 하고 농사를 지었다. 비닐로 멀칭을 하면 쌈채소를 수확할 때 흙이나 검불이 묻지 않아서 깔끔하다. 하지만 천연 재료로 멀칭을 하면 수확할 때 검불이 묻는 등 깔끔하지 않은 단점이 있다. 연천에서의 놀라운 경험 이후 기회가 될 때마다 땅콩을 재배했는데 늘 검정 비닐을 덮고 모종을 옮겨 심었다. 그러다가 올해 처음으로 비닐 멀칭을 하지 않고 재배해 봤는데 그 방법이 훨씬 더 좋은 것 같아 공유하고자 한다.

4) 비닐 멀칭 없는 땅콩 농사, 해볼까?

일반적으로 땅콩 농사에서 4월 말부터 5월 초에 땅콩을 심고 나서 싹이 올라오고 땅콩이 자라서 두둑을 덮을 때까지 땅콩보다 풀이 먼저 올라온다. 그렇게 올라온 풀과의 전쟁이 무서워서 대부분의 텃밭농부들은 검정 비닐을 씌우고 그 안에 땅콩 씨앗을 직접 넣거나 아니면 이미 싹이 난 땅콩 모종을 심고 재배를 시작한다. 지금까지 여러 번 땅콩을 심을 때마다 비닐 멀칭 하는 것을 당연하게 생각했다. 텃밭은 집 바로 앞에 있지만 200평 넓은 텃밭을 관리하는 것이 쉽지 않아서 아무 생각 없이 비닐을 씌우고 땅콩 등 다른 농작물을 지었다. 하지만 가을에 추수가 끝나고 비닐을 거두면서 늘 엄청난 부담감에 시달려야 했다. 퇴비를 담아 온 비닐 포대야 내 영역 밖이니 어쩔 수 없다고 하더라도 내 텃밭에서 나오는 비닐 쓰레기 양을 보면서 꼭 이래야만 할까? 생각하게 됐다.

작물 재배법 도움을 받으려고 보는 유튜브 영상 중에는 땅을 걱정하는 유튜버들이 많다. 여러 가지 방법으로 땅을 보호하고 살리려고 애쓰는 가운데 내 형편에 맞게 할 수 있는 방법은 무엇일까 고민하게 됐다. 그런 과정에서 제일 먼저 땅콩에 비닐 멀칭을 안 해 보면 어떨까? 하는 생각이 들었고 올해 처음으로 시도해 봤다. 엄청난 풀과의 전쟁이 예상되지만 두 이랑이니 내가 좀 부지런하게 움직이면 두 이랑에서 나오는 검정 비닐 쓰레기를 만들지 않을 수 있다는 생각에 시도해 보기로 했다. 나중에 한 이랑에 땅콩을 더 심어서 결국 세 이랑이 되기는 했지만 시도하기를 참 잘한 것 같다.

〈검정 비닐로 멀칭하지 않고 제초매트만 사용한 땅콩 재배〉

내가 여러 작물 중에서 땅콩 재배에 멀칭을 하지 않기로 생각한 이유는 땅콩 재배법 때문이다. 위에서 잠깐 설명한 대로 땅콩은 꽃이 피면 그 자리에 자방병이라는 기다란 줄이 생겨서 그 자방병이 땅속으로 들어가야 땅속에서 열매가 생긴다. 그래서 낙화생이라는 이름을 얻었다고 설명했다. 그런데 그 자방병이 땅속에 잘 들어가도록 꽃이 질 때쯤 해서 멀칭을 했던 검정 비닐을 찢어 주고 자방병이 흙속에 잘 들어갈 수 있도록 흙을 북돋아 주는 작업을 꼭 해줘야 한다. 그 과정을 한 번에 하면 잡초가 무서워서 보통 두 번에 나눠서 조금씩 면적을 넓히며 하라고 한다. 하지만 이전에 땅콩 재배 경험을 통해서 볼 때 그때쯤이면 이미 땅콩잎이 무성해 있고 자방병은 얌전하게 뿌리 근처에서만 나오는 것이 아니라 내가 아무리 비닐을 두 번에 걸쳐 찢어 줘도 항상 비닐 밖으로 나오는 것이 보여서 마음에 걸렸다.

이런 작업을 해 줘야 하는 것까지 따진다면 5월에 심어서 겨우 두세 달 정도만 비닐에 쌓여 있고 그 후엔 다시 비닐을 찢어줘야 하는 두 번 일을 해야 하는 상황이 생기는 셈이다. 물론 비닐 멀칭을 하는 이유 중에 제일 큰 것은 잡초와의 전쟁이지만 또 한 가지는 보온과 보습에 유리한 이유도 있다. 아직 쌀쌀할 수 있는 5월에 발아를 촉진시키고 뿌리 생육을 돕기 위한 부분도 있고 또 비닐 속에 있어서 건조한 봄날에 보습에 도움이 되는 좋은 점도 있다. 하지만 나는 다행히 집 바로 앞에 텃밭이 있고 텃밭까지 물을 사용할 수 있는 시설이 되어 있으니 올해 한 번 검정 비닐 멀칭 없는 땅콩 농사를 시도해 보기로 했다.

그 과정에서 여러 날에 걸쳐서 고민하며 생각해 낸 방법은 두둑에 멀칭을 하지 않는 대신 평소보다 많이 넓은 제초 매트를 사용해서 양쪽 고랑은 물론 양쪽 두둑 가운데까지 덮이도록 해 주는 것이다. 그렇게 해서 씨앗을 뿌린 곳만 노출이 되도록 노출 부위를 최소화하면 보온과 보습, 잡초와의 전쟁도 효율적으로 할 수 있을 것 같았다. 결과적으로 기대 이상의 풍성한 수확을 거둘 수 있었다. 이 책에서는 그렇게 검정 비닐을 사용하지 않고 재배한 땅콩 농사 경험담과 개선안을 공유하고자 한다.

3. 직파 vs. 모종 정식

1) 씨앗 준비하기

씨앗은 전년에 수확하여 바짝 말린 것 중에서 가장 튼실한 것으로 골라서 양파망에 넣어 통풍이 잘되는 실내에 보관했다가 사용한다. 땅콩 농사를 처음 시작할 때는 주변 지인에게 땅콩 씨앗을 얻어서 시작하면 좋다. 하지만 이때 중요한 것은 시중에서 판매하는 갈색 얇은 껍질에 쌓여 있는 까놓은 땅콩(알땅콩)이 아니라 땅콩 알 두세 개가 들어 있는 수확할 때 모습인 꼬투리(깍지) 속에 든 채로 보관한 것(피땅콩)이어야 한다. 즉 알땅콩이 아닌 피땅콩 상태로 보관한 것이어야 한다. 주변에서 얻기 어려우면 종묘사에서 구입해도 된다.

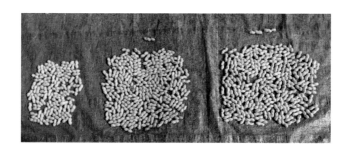

씨앗용으로 골라 놓은 것 중에서도 또 골라서 까고, 크고 모양이 가장 좋은 것으로 최종 씨앗을 고른다. 꼬투리 하나에 보통 땅콩 두 개가 들어 있고 한 개가 모종하나로 자라기 때문에 먼저 심을 공간을 생각하고 간격을 생각하면 모종이 몇 개쯤 필요한지 계산이 된다. 혹시 싹이 안 나오거나 새나 벌레가 먹어버리는 경우에 대비해서 두 배로 준비한다고 해도 생각만큼 많은 양의 씨앗이 필요하지는 않다.

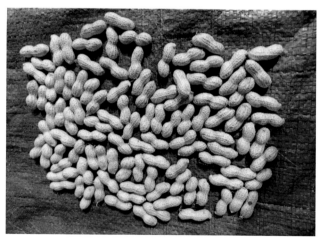

〈크고 모양이 가장 좋은 것으로 씨앗 준비하기〉

2) 직파하기

땅콩을 심는 방법으로는 직파하기와 모종으로 심는 방법이 있다. 직파하기는 씨앗용으로 보관한 땅콩 꼬투리를 까서 그 속에 들어있는 땅콩을 미리 살충제를 넣고 거름을 듬뿍 넣어 준비해 놓은 두둑에 심으면 된다. 이때 두둑은 미리 물을 충분히 주어서 속까지 촉촉하게 한 후에 땅콩을 심어야 발아에 도움이 된다.

땅콩은 모종이 커서 모종판이 차지하는 공간이 크기 때문에 모종으로 키워서 심는 것보다 직파하면 좋은 것 같아 올해부터는 직파하기로 했다. 이 경우에 땅콩

〈땅콩 뿌리가 나올 때까지 물이 마르지 않도록 신경을 쓰자.〉

발아를 돕기 위해 미리 집에서 준비하는 방법을 추천하고 싶다. 접시에 종이 타올을 깔고 그 위에 땅콩을 놓고 땅콩이 잠길 정도로 물을 부어서 2~3일[1] 두면 뿌리가 나온다. 이렇게 뿌리를 낸 후에 준비해 둔 두둑에 심으면 싹이 올라오는 기간을 줄일 수 있다.

※ 여기서 땅콩 쉽게 까는 팁:

바짝 마른 단단한 꼬투리 속에 든 땅콩을 꺼내는 과정이 처음에는 쉽지 않을 수 있다. 힘으로 누르다가 안 되면 손바닥을 옆으로 세워서 쳐서 깨기도 했었다. 하지만 아주 쉬운 요령이 있다. 땅콩 모양을 보면 양쪽이 다르다. 뭉툭하고 잔뿌리가 달려 있는 것 같은 쪽 말고 다른 쪽은 마치 한복 입을 때 신는 버섯의 코 모양으로 날렵하게 되어 있다. 엄지와 검지 두 손가락으로 이 부분을 위아래로 잡고 살짝만 누르면 그 단단한 땅콩이 쫙 갈라진다.

---

[1] 날씨가 쌀쌀할 때에는 4~5일 걸리기도 한다.

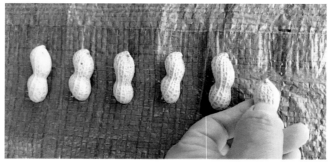

〈위 동그라미 부분을 엄지 손가락으로 누르면 쉽게 까진다.〉

※ 땅콩 직파할 때 조심해야 할 것:

움을 틔운 땅콩을 심을 땐 하얗게 나온 것이 잎이 아니라 뿌리인 것을 꼭 기억해야 한다. 초보 농사꾼들이 실수하는 이유가 하얀 움이 튼 것이 잎인 줄 알고 위로 가도록 심으면 땅속에서 어린 땅콩 씨앗이 방향을 180도 틀어서 올라와야 하기 때문에 도움이 된 것이 아니라 오히려 방해를 한 셈이 된다. 잘 모르겠다 싶으면 옆으로 눕혀 심는 것이 차라리 안전하다. 움이 튼 불린 땅콩을 옆으로 눕혀 심으면 땅콩이 알아서 뿌리는 아래로 내려갈 것이고 잎은 위로 올라올 것이다. 이때 움

〈이 정도로 움이 트면 이제 밭에 옮겨 심어도 된다.
그리고 하얗게 보이는 부분은 잎이 아니라
뿌리인 것을 기억하고 아래로 가게 심어야 한다.〉

을 틔운 땅콩을 좀 넉넉하게 준비해서 땅콩을 밭에 심고 남으면 텃밭 가장자리나 큰 화분에 좁게라도 심어두자. 싹이 나지 않거나 새에게 먹힌 경우 다시 심기 위한 보식용으로 키우면 좋다.

이렇게 심은 땅콩 싹이 올라오는 데는 여러 날이 소요된다. 이 기간이 참 궁금할 수 있다. 나는 성격이 급해서 느긋하게 기다리지 못하고 땅을 조금 파보기도 했다. 흙 속에서 땅콩 머리가 갈라지는 것이 보이면 얼른 덮어놓지만, 제법 깊은 곳에서도 소식이 없으면 다시 심거나 보식용으로 키우고 있던 것을 옮겨 심으면 좋다.

※ 직파 후 물주기:

땅콩을 직파한 후에 땅콩 싹이 빨리 올라오라고 흙에 물을 주는 것은 결코 도움이 되지 않는다는 것을 배웠다. 비가 오는 것처럼 오랜 시간에 걸쳐서 땅속 깊이 충분히 스며들도록 물을 천천히 흠뻑 주는 것은 확실히 도움이 된다. 하지만, 어설프게 물을 주는 것은 오히려 땅 표면을 딱딱하게 만들어 어린 씨앗이 뚫고 올라오기 힘들게 할 수도 있다는 것을 기억하도록 하자.

땅콩잎이 올라오는 모습은 참 신기하다. 커다란 땅콩이 쫙 갈라지면서 그 사이에서 모양을 제대로 갖춘 땅콩잎이 맹렬한 속도로 쑥 올라오기 때문에 오랜 기다림 후에 그 모양을 보는 것만으로도 땅콩 농사 첫 해에 초보 농사꾼은 황홀했다.

〈땅콩잎이 나오는 모습: 그 기세가 아주 맹렬하다.〉

3) 모종으로 심기

혹시 땅콩 씨앗을 구하지 못했거나 직파할 시기를 놓쳐서 너무 늦어졌으면 종묘상에서 땅콩 모종을 구입해서 심으면 된다. 보통 72구 한 판에 만 원 전후로 하니 씨앗 값이 꽤 들어가는 셈이긴 하지만, 일 년 동안 농사하는 즐거움과 가을에 풍성한 수확을 기대할 수 있어서 늦게라도 시작해 보길 추천한다. 나는 주변에 농사지을 공간이 있는 지인들을 만나면 땅콩 씨앗을 나누어 주면서 한 번 지어보라고 권한다. 재배 방법도 쉽고 가성비도 최고라는 추천과 함께 ……

4. 한 줄 심기 vs. 두 줄 심기

매년 이웃의 도움을 받아서 로터리를 치고 이랑을 만드는 것이 내 마음처럼 쉽지 않다. 미리 밭 전체 작물 배치도를 그리고 각 이랑의 넓이를 계산해 두지만 막상 로터리를 칠 때는 줄자를 가지고 와서 재면서 해도 내 계획대로 되지 않는다. 그럴 땐 만들어진 이랑 넓이에 맞춰서 여러 가지 방법으로 심으면 된다.

나는 아래와 같이 추천하지만 두둑 및 고랑 폭은 물론 심는 간격도 각자 형편에 맞춰서 하면 된다.

▪ 땅콩을 심을 공간이 넉넉하지 않으면 두둑을 80cm 정도로 좀 넓게 해서 30~35cm 간격으로 두 줄 심기로 심으면 좋다.

▪ 아니면 60cm 두둑에 지그재그로 두 줄 심기도 가능하다. 이럴 경우에 포기 간격은 조금 넓게 40cm 이상을 확보하는 게 좋다.

▪ 각각의 밭 형편에 따라 선택할 문제지만 내 경우엔 올해 60cm **평두둑에 조금 좁은 25cm 간격으로 한 줄 심기**를 했더니 성과가 좋았다.

〈60cm 평두둑에 조금 좁은 25cm 간격으로 한 줄 심기 한 모습〉

5. 잡초 관리

내 짧은 농사 경험에서 잡초 관리에 쉬운 길은 없었다. 보이는 대로 제거하는 길 밖에는 없다. 내가 요즘 풀을 이용한 농사법에 관심이 많은데 그 방법에서는 풀을 뽑지 말고 뿌리를 남겨두어야 유효토심이 깊어지고 물을 많이 수용할 수 있는 좋은 땅이 된다고 한다. 그렇게 하려면 우리처럼 매년 로터리를 치는 방법이 아니라 완전히 다른 방법으로 접근해야 한다. 요즘 인기가 많은 상자 텃밭(틀밭)에서 일부분 시작해 보고 성과가 좋으면 조금씩 늘려가면 어떨까 생각한다.

우리 집 텃밭도 가운데 로터리를 쳐야 하는 부분과 가장자리에 로터리를 치지 않으려고 하는 공간으로 나눠진다. 그 공간 일부에는 넓고 두꺼운 제초매트를 덮고 유실수와 반송을 심어 놓았다. 농사를 그만큼 덜 짓겠다는 생각이다. 나머지 공간에는 여러해살이 농작물을 심거나 씨앗이 떨어져 피고 지고 하는 작물을 심으려고 한다. 작년에 텃밭 모양을 대대적으로 바꾸어서 아직 틀이 잡히지 않았지만, 더덕·도라지, 아스파라거스, 부추·달래, 머위, 부지깽이나물·방풍나물 등을 심어서 계속 피고 지고 하기를 바란다. 이 이랑에서는 검정 비닐로 멀칭을 하지 않고 낙엽이나 풀 등 주변에서 구할 수 있는 것들로 멀칭을 시도해 보려고 한다.

본론으로 돌아가서 올해 비닐 멀칭을 하지 않은 땅콩 이랑의 잡초 관리는 수시로 돌아다니면서 보이는 대로 뽑아버렸다. 사진에서 보이는 것처럼 노출된 면적이 크지 않음에도 불구하고 온갖 풀들이 계속 올라와서 땅콩이 제법 자라서 노출된 공간을 덮을 때까지 계속 뽑아주었다.

내 경우는 세 이랑으로 많지 않기 때문에 하루에도 몇 번씩 수시로 나와서 놀이 삼아 고랑을 오가며 잡초가 보이는 대로 뽑아주었다. 하지만 재배하는 면적이 크다면 처음부터 더 넓은 제초매트를 써서 씨앗을 줄 맞춰서 심은 가운데 10cm 정도만 남기고 두둑을 더 많이 덮어버리라고 권하고 싶다.

그렇게 싹이 올라올 공간만 남기고 덮어버린 제초매트는 땅콩이 자람에 따라 조금씩 공간을 열어주며 밖으로 고정시키다가 나중에는 두둑 주변에 말뚝을 박아서 연결한 줄에 오이 집게로 고정해 주면 된다.

〈땅콩이 자람에 따라 말뚝을 박고 줄을 매서 땅콩 두둑을 덮었던 제초매트를 걷어서 줄에 오이 집게로 고정해 주었다.〉

6. 물 주기

보통 밭은 평지가 아니다. 배수를 위해서 한 쪽으로 물이 잘 빠지도록 경사지게 만들어져 있다. 그렇게 만들어진 밭이 좋은 밭이다. 문제는 경사도가 어느 정도여야 적당한가 하는 것이다. 우리 밭은 작년에 새로 만들었는데 경사도가 제법 된다. 그래서 땅콩 이랑에 발아와 성장을 위한 물주기에도 궁리를 많이 해야 했다. 그래도 예전 연천 땅콩밭을 생각할 때나 완전 마사토 땅에 멀칭을 하지 않고 땅콩 농사를 짓는 엄마 텃밭을 생

〈마사토 땅에 멀칭 없이 농사하는 엄마 땅콩 밭:
한 이랑이 매우 좁다.〉

각해 볼 때 점적 호스까지 설치할 정도는 아니라고 생각했다.

내가 생각한 물주기 방식은 호스를 가져다 이랑 가운데 부분이 푹 젖도록 듬뿍 주는 방법이었다. 먼저 땅콩을 심은 두둑 가운데를 약간 파고 물길을 만들었다. 호스로 부드럽게 물을 줘도 땅이 말라 있어서 물이 두둑밖으로 그냥 흘러버리기 때문이다. 그렇게 만든 가운데 물길에 호스로 물을 흘려보내면 경사도 때문에 금방 아래로 다 흘러간다. 그래서 1m 간격으로 둑을 만들어서 물이 그 안에 고이게 했다. 물이 고여 있으면 호스를 들고 그다음으로 이동해서 또 고이게 하는 방법으로 천천히 시간을 들여서 물을 주었다.

보통 5월 초에 땅콩을 심는데 5월부터 6월까지는 모종으로 심은 고구마 종순이 다 말라죽을 만큼 봄 가뭄이 심하다. 그래서 멀칭을 하지 않은 밭에 물주기는 특별히 신경을 써야 한다. 물론 이렇게 만들어 놓았던 물길은 싹이 올라오면서부터 의미가 없어졌다. 그 후에는 뜨거운 한낮을 피해서 아침 일찍 또는 저녁때 땅콩 잎 아래·위로 물을 흠뻑 주었다.

7. 땅콩꽃과 자방병

땅콩 모종을 심고 30~40일 정도 지나면 노란 꽃이 핀다.

땅콩을 직파한 경우엔 시간이 훨씬 더 걸린다. 이 꽃이 질 때쯤 기다란 줄이 내려오는데 그 줄을 '자방병'이라고 한다. 자방병이 땅속에 들어가서 큰 것이 우리가 수확하는 땅콩이다. 자방병이 땅속에 잘 들어가도록 해주려고 멀칭했던 검정 비닐을 찢어주고 또 흙을 북돋아 주기도 한다. 그러니 봄에 비닐 멀칭을 하고 모종을 심은 후부터 50~60일 후에는 비닐을 다시 찢어줘야 하는데 문제는 땅콩이 자라면서 찢어놓은 곳으로만 자방병이 들어가지 않는다는 사실이다. 자방병은 줄기 온 사방에서 나오기 때문에 비닐을 완전히 찢어주지 않는 한 자방병이 모두 땅속에 들어가기는 어렵다. 땅속에 들어가지 못한 자방병은 말라버리거나 새 먹이가 되기도 한다. 하지만 이때 비닐 멀칭을 하지 않고 대신 땅콩 두둑을 덮고 있던 제초매트를 조금씩 걷어서 뒤에 설명하는 방식으로 말뚝을 박고 줄을 친 곳에 묶어주면 자방병은 자연스럽게 두둑으로 내려오게 되고 땅콩 입장에서는 비닐을 뚫어야 하는 스트레스 없이 편안하게 땅속으로 뿌리를 내릴 수 있게 된다.

〈넓은 두둑 안에서 마음껏 자방병을 내린 땅콩의 행복한 모습〉

8. 말뚝 박고 줄 쳐 주기

땅콩이 자라면서 폭풍 성장해 줄기가 두둑을 넘어서 양쪽 고랑까지 침범하기 시작했다. 그래서 고랑과 두둑 사이에 말뚝을 박고 줄을 친 후에 두둑을 덮고 있던 제초매트를 들어 올려서 오이 집게로 고정해 주니 고랑에도 다닐 수 있는 공간이 생기고 땅콩도 두둑 안 양쪽 말뚝으로 둘러친 제초매트 안에 갇히게 돼서 좋다. 자방병이 땅속에 잘 내리도록 비닐을 찢어줄 필요도 없다. 자방병은 생기는 대로 넓은 두둑 안에서 마음껏 땅속으로 뿌리를 내릴 수 있다. 수확하려고 보니 위 사진에서처럼 땅콩이 "덕분에 올 한 해 정말 행복했어요!"라고 말하는 것 같아 뿌듯했다.

이상하게 들릴지 모르지만 농사를 지으면서 이런 경험이 처음이 아니다. 고추를 45주 재배하면서 고추나무가 쓰러지지 말라고 줄을 쳐 주고 지나가는데 유독 다른 나무보다 더 크게 자라던 고추나무가 내게 "아, 편하다!" 하고 말하는 것 같아 뒤돌아보니 고추가 양쪽

팔을 방금 쳐준 줄 위로 걸치는 것 같아 보였다. 깜짝 놀라 그 고추에게 "호텔이지?"라고 말하며 〈호텔〉이라고 별명을 붙여준 경험이 있다.

다시 본론으로 돌아가서 올해 땅콩 이랑에는 줄을 두 단으로 쳐 주었다.

▪ 첫 단은 여름 장마철에 두둑에 있던 흙이 제초매트로 덮어놓은 고랑으로 흘러내리는 일이 있어서 흙 유실 방지를 위해 줄을 한 단 쳐 주고 부직포를 접어서 흙이 고랑으로 흘러내리지 못하게 오이 집게로 고정해 줬다.

▪ 둘째 단은 많이 자란 땅콩 줄기가 고랑으로 쓰러질 것 같아 줄을 한 번 더 쳐 주고 땅콩 줄기가 고랑으로 넘어가지 않도록 제초매트 안쪽으로 눌러줬다. 이렇게 하는 과정에서 땅콩이 제초매트를 따라 두둑에 납작 붙게 되어 자방병이 흙 속으로 자리를 잡는 데 큰 도움이 되었다.

〈멀칭을 하지 않은 넓은 평두둑에서 편안하게 자란 땅콩 모습〉

말뚝을 박고 부직포로 막아서 만들어 준

제초매트 울타리 안 넓은 평두둑에서

마음껏 자방병을 내려 자란 행복한 땅콩들

9. 땅콩꽃 위에 흙을 덮어요?

땅콩꽃이 핀 후에 꽃이 질 때쯤 땅콩 줄기를 양쪽이나 사방으로 눌러주고 가운데에 흙을 한 삽 떠 올려 덮어 주는 영상을 종종 본다. 심지어 그 흙 위에 사람이 올라가서 밟는 영상도 있다. 이렇게 해 주는 이유는 자방병이 땅속에 들어가기 쉽도록 도와주려는 것이다. 하지만, 우리 텃밭은 처음부터 고랑을 제초매트로 이미 덮어 놓은 상태였기 때문에 땅콩 가운데 부분을 충분히 덮어줄 여분 흙이 없어서 이 과정은 건너뛰었다.

그럼에도 불구하고 비닐 멀칭을 하지 않고 위에 설명한 대로 말뚝을 박고 제초매트로 벽을 친 평두둑 안에 갇힌 땅콩 줄기에서 내려오는 자방병이 흙속으로 들어가는 데 아무런 장애물이 없어서 전혀 문제가 되지 않았다. 이와 같이 일부러 흙으로 덮어주지 않아도 자방병이 스스로 땅속에 뿌리를 내리도록 유도하는 것이 더 낫지 않을까 생각한다.

10. 땅콩 수확하기

1) 땅콩 수확 시기

작물별 생육 기간을 계산해서 수확 시기를 결정하기도 하지만 나는 주로 작물의 상태를 보고 결정한다. 그동안 여러 차례 땅콩을 재배하면서 가능한 한 덜 여문 것을 줄이고 땅콩이 좀 더 크기를 바라는 마음에 땅콩을 늦게 수확한 적이 있다. 하지만, 땅콩 꼬투리가 다 떨어져서 포기를 뽑아 올려 수확하는 재미가 없었다. 뿐만 아니라 일일이 땅을 파서 땅콩을 줍느라고 시간도 더 많이 걸렸다. 땅속을 호미로 일일이 헤집고 찾아야 해서 절대로 늦게 수확할 것은 아니라고 생각한다.

그렇다면 작물의 상태를 보고 수확할 시기는 어떻게 아는가? 푸르고 싱싱하던 잎이 빛을 잃고 갈변하기 시작하고 낙엽이 지기 시작하는 때가 수확할 때인 것 같다. 땅속 사정을 알 수는 없지만 땅콩 줄기 낙엽과 땅콩이 뿌리에서 떨어지는 것이 거의 비슷한 때에 일어나지 않을까 생각한다. 낙엽도 없고 잎이 아직 녹색으로 싱싱

하면 조금 더 기다려 보면서 땅콩이 더 크기를 기다리는 것이 좋을 것 같다. 하지만 이미 낙엽이 많이 진 상태라면 땅속에서도 꼬투리가 이미 떨어졌을 수 있으므로 더 놔두면 썩기 쉬우니 서둘러 수확해야 한다.

〈땅콩 수확 시기를 알려주는 모습들〉

이러저러한 방법으로도 수확 시기를 알기 어려우면 가장 확실한 방법은 땅콩의 그물 모양을 확인하는 것이다. 먼저 뿌리를 헤쳐 보면 보이는 땅콩에 아래 사진처럼 그물 모양이 선명한가 확인하면 된다. 그물 모양이 선명하면 이제 수확해도 된다.

이외에도 까치나 고라니 등 내가 애써 재배한 땅콩을 노리는 침입자가 있거나 한두 개 파 보아서 굼벵이가 파먹은 것이 보인다면 이럴 때에도 수확 시기를 조금 앞당기는 것이 지혜로운 선택이라고 생각한다.

2) 땅콩 수확 및 세척·건조 방법

▪ 땅콩 수확하기 좋은 날씨:

땅콩 수확은 밭이 좀 마른 다음에 하는 것이 좋다. 그래서 비가 온 바로 뒤보다는 하루쯤 지나서 땅이 부슬부슬할 때 하는 것이 땅콩을 뽑기도 좋고 세척하고 말리는 일도 수월하다.

▪ 수확하는 방법:

땅콩을 수확하는 것은 늘 신나는 일이다. 정말 놀라운 경험이다. 성경에 나오는 30배, 60배, 100배라는 말씀이 실감 나는 가성비 최고인 농사를 경험할 수 있기 때문이다. 우선 사방으로 퍼져 있는 땅콩 한 포기 줄기를 모두 모아서 서서히 잡아당긴다.

이때 제법 묵직하게 저항하는 듯한 그 느낌이 정말 좋다. 그렇게 뽑힌 뿌리 주변에 주렁주렁 매달린 땅콩을 보면 감사가 넘친다.

뽑은 땅콩을 포기째로 두어 번 흙을 털어내고 먼저 수확한 두둑에 눕혀서 잠시 말린다.

〈수확한 두둑에 널어서 잠시 말리면 흙이 잘 털어진다.〉

이렇게 말린 후에 편안한 곳에 자리를 잡고 앉아서 큰
그릇을 갖다 놓고 뿌리를 통 속에 넣은 후 땅콩을 훑어
담는다. 땅콩을 하나하나 골라가면서 따 담는 것은 깨
끗하게 수확할 수 있어서 좋지만, 시간이 오래 걸려 흙
이 좀 들어가더라도 뿌리째로 훑으면 빨라서 좋다.

〈편안한 곳에 자리를 잡고 앉아서 뿌리 부분을 통 속에 넣고 훑으면 빠르다.〉

땅이 적당히 마른 후에 수확하면 흙이 많이 들어가지 않아서 세척하기도 편하다.

땅콩을 수확하면서 밭 흙이 부슬부슬하고 아주 부드러워진 것을 볼 수 있어서 기뻤다. 콩과 식물의 특징인 뿌리혹박테리아를 확인할 수 있는 귀한 기회이기도 하다.

〈콩과 식물의 특징인 뿌리혹박테리아가 신기하다.〉

본인이 농사를 지어 수확하는 농작물은 농부에게 늘 귀하다. 그래서 아직 덜 자라 상품성이 적은 것도 버리기 아깝다. 모두 수확해서 굵은 것은 잘 말려서 나눔도 하고 오래 두고 먹는다. 또 아직 다 자라지 못한 것은 골라내서 먼저 까서 밥에 넣어 먹으면 그것도 꿀맛이니 덜 자랐다고 절대 버리지 말자.

〈덜 여물었거나 벌레 먹은 것 등 안 좋은 것들은
따로 골라내어 먼저 먹는다.〉

▪ 세척하는 방법:

흙이 묻은 땅콩을 씻기에는 구멍이 있는 소쿠리와 그 소쿠리가 담기는 큰 그릇이 있으면 편하다. 나는 삽목용 삽수 판을 사용했더니 참 편리하고 좋았다.

〈1차로 구멍 뚫린 소쿠리에 땅콩을 담아서
물로 흙을 대충 씻어낸다.〉

또 흙물이 많이 나오는 작업이어서 예전에는 수돗가에서 작업하느라고 힘이 들었는데 올해는 텃밭 가에서 작업하면서 흙물을 이미 수확이 끝난 텃밭 고랑에 버리니 일이 훨씬 수월했다.

〈2차로 그 소쿠리를 막힌 통에 담아서
땅콩이 물에 잠긴 상태로 여러 번 깨끗하게 더 씻어내고
소쿠리를 들어 올려 물기를 빼면 쉽다.〉

▪ 땅콩을 말리는 방법:

여러 번 씻어서 맑은 물이 나오면 소쿠리를 들어 올려서 물기를 빼고 밑에 천막 천을 깔고 햇볕에서 여러 날 말리면 된다. 땅콩을 수확할 철에는 날씨가 좋아서 밖에서 말려도 좋지만, 가을 햇살이 잘 드는 2층 베란다에서 말리니 비나 밤이슬에 젖을 걱정을 하지 않아도 돼서 더 좋았다. 말리는 도중에 덜 여물었거나 모양이 이상한 것, 굼벵이가 파먹은 것 등 온전하지 못한 것들은 골라내서 따로 말린다.

다 말랐는지 확인하려면 땅콩을 흔들었을 때 달그락거리는 소리가 나면 다 마른 것이다. 하지만 나는 이렇게 소리가 난 후에도 더 오랫동안 말려서 오랫동안 두고 먹었다. 한 예로 2013년에 수확한 땅콩이 좀 있었는데 씨앗으로 좋은 것을 골라 나눔을 하고도 10년이 가깝도록 남아 있었는데 먹기에도 괜찮았다.

〈땅콩을 말리는 도중에 온전하지 않은 것들은
계속 골라내어 별도로 말리고
오래 보관하지 말고 가장 먼저 소비한다.〉

3) 땅콩 보관법

달그락거리는 경쾌한 소리가 나도록 잘 말린 땅콩은 용도별로 구분한다. 먼저 가장 크고 모양이 튼실한 것들을 씨앗용으로 고른다. 혹시 세 알짜리 땅콩이 있으면 씨앗용으로 1순위다. 세 알 땅콩이 많이 달리기를 바라는 마음이다.

〈씨앗용으로 1순위인 세 알짜리 땅콩들〉

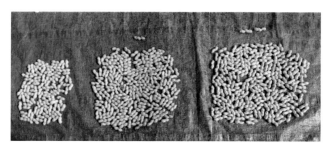

〈수확할 때마다 좋은 것을 씨앗용으로 골라 따로 말려〉

앞에서도 설명했지만, 땅콩은 씨앗이 많이 필요하지는 않다. 하지만 여러 해 지나도 발아율이 높으니 좋은 것을 넉넉히 골라서 보관해 두면 이듬해에 씨앗 나눔 하기도 좋다. 남으면 오래 두고 먹어도 된다.

〈씨앗용 땅콩을 우선 선별하여 보관〉

다음으로는 양파망에 넣어서 바람이 잘 통하는 곳에 두면 오래 보관할 수 있다. 이때 꼭 기억해야 할 것은 알땅콩이 아닌 피땅콩으로 보관해야 품질 변화 없이 오래 보관할 수 있다. 특히 씨앗용은 꼭 피땅콩으로 보관했다가 파종 직전에 까서 사용해야 한다. 이처럼 꼬투리에 들어 있는 잘 말린 땅콩은 오래도록 보관하면서 먹고 또 씨앗으로도 사용할 수 있으니 잘 말려서 건조한 곳에서 보관하도록 하자. 내 경우에는 습하지 않은 다용도실이나 보조 주방에 보관했더니 좋았다.

〈목적별로 구분하여 피땅콩 상태로 보관〉

■ 땅콩 요리법

1) 땅콩 볶음

아마 땅콩을 가장 많이 소비하는 방식일 것이다. 시중에서 구입하기도 쉽고 까먹는 재미도 좋다. 가을에 수확한 피땅콩을 지인들에게 나눔 한 후에 어떻게 했는지 나중에 물어보면 대부분 볶아서 먹었다고 한다. 기름을 두르지 않은 프라이팬에 천천히 볶아도 되지만, 요즘은 에어 프라이어에 볶으면 타지 않게 볶을 수 있어서 더 편하다. 이렇게 볶은 땅콩은 고소함이 더해져서 많은 사람이 좋아하는 간식이 된다.

〈알땅콩을 에어 프라이어에 볶으니 타지 않아서 좋다.〉

2) 땅콩 조림

또 다른 방법은 반찬으로 사용하는 방법이다. 땅콩을 간장과 물엿으로 졸여도 좋은 반찬이 된다. 남편과 내가 자주 가는 어죽 집에서는 빠지지 않고 땅콩 조림을 반찬으로 내놓는데 어죽도 맛있지만 땅콩 조림이 맛있어서 더 자주 찾게 되는 집이다. 나는 땅콩만 조리지 않고 호두나 멸치를 함께 넣어 반찬을 만든다.

〈단골 어죽 집 인기 땅콩 조림〉

3) 삶은 땅콩

삶은 땅콩은 내가 가장 좋은 방법으로 농사짓는 농부들에게 주신 선물이라고 생각한다. 갓 수확한 마르지 않은 땅콩을 냄비에 넣고 물이 자박하도록 넣은 후에 20분 동안 삶는다. 고화력으로 그만큼 삶으면 물이 거의 졸아든다. 뭐라고 표현하기 힘든 그 맛을 직접 땅콩 농사를 지어서 한 번 경험해 보시라.

땅콩이 귀했던 강원도에서 나고 자란 나는 이런 맛을 몰랐다. 몇 년 전 가족 행사에서 안동 출신인 큰 형님이 관광지 입구에서 파는 땅콩을 사서 저녁에 숙소에서 솥에 바로 삶으셨는데 처음 먹어본 그 맛이 너무 좋아서 계속 먹게 됐다. 이후 땅콩 농사를 하면서 늘 햇땅콩을 수확하면 먼저 삶아서 한 그릇 담아 놓고 까서 먹는다.

땅콩을 이렇게 먹는 것은 경상도 식인 것 같은데 서울 손님들한테 대접했더니 색다른 맛이라고 좋아하셨다.

햇 땅콩이면 제일 좋지만 꼭 햇 땅콩이 아니어도 물을 많이 붓고 30분 정도 푹 삶아 먹으면 된다. 아직 삶은 땅콩을 안 먹어 봤다면 꼭 한 번 시도해 보시라고 권하고 싶다.

4) 밥에 섞어 먹기

땅콩을 수확하여 말리는 과정에서 덜 여물었거나 벌레 먹은 것, 모양이 이상한 것들은 따로 구분하여 말리라고 했는데 그렇게 말린 것들을 우선 까서 냉동실에 보관하고 콩처럼 밥에 섞어 먹으면 별미다. 땅콩의 고소함이 느껴져서 콩과는 또 다른 맛을 즐길 수 있어 추천한다. 개인적으로 나는 땅콩밥을 콩밥보다 더 좋아한다.

■ 맺는 글

앞에서 설명한 바와 같이 땅콩은 5개월 동안 땅을 사용하는 가장 경제적인 농사가 아닐까 생각한다. 뿐만 아니라 땅콩 수확 후에 마늘이나 양파 등 겨울 작물을 심기도 한다고 하니 우리나라 상황에서 이모작을 하기에도 적당한 작물이라고 생각한다.

내가 경험한 땅콩 재배는 100배 수익이 가능한 가성비가 최고인 작물이다. 시중에 판매되고 있는 땅콩 중 상당량이 중국산으로 국산 땅콩은 굉장히 비싸게 팔린다. 내 생각에 땅콩 재배는 가성비도 좋은데 국산 땅콩이 그렇게 비싸게 유통되는 이유가 무엇일까 궁금하다.

땅콩을 수확하면서 발견한 또 다른 사실은 땅이 보슬보슬해졌다는 것이다. 올봄에 땅콩을 심을 때는 땅이 딱딱했는데 땅이 보슬보슬한 농사짓기 좋은 흙으로 변해 있어서 깜짝 놀랐다. 이번에 수확하면서 확실히 느낀 점이다. 작년 11월에 객토를 해서 돌투성이 밭인데 정말 보슬보슬한 농사 짓기 좋은 흙이 됐다. 이유가 뭘까? 다른 이랑과 달리 보슬보슬한 땅을 보니 또 선물을 받은 것 같아 내년에는 땅콩 재배 면적을 더 늘리고 싶어진다.

이상의 경험은 텃밭 농사 3년 차인 초보 농부가 검정비닐 사용을 줄이자는 생각으로 시작해 본 일이다. 그방법이 나눌 만한 좋은 방법이라고 생각해서 공유하고자 한다. 농사에 대해서 잘못 알고 있는 것이 있을 수도 있음을 밝힌다.

- 땅콩도 꽃이 피나요?
- 자방병이 뭐예요?
- 자방병은 어디로 가야 하나요?
- 왜 땅콩을 누르고 흙을 덮어주나요?
- 검정 비닐 멀칭 꼭 해야 하나요?